gwên yn dod i ledd - fu poen y cur.

Mi

al - waist hei - bio droe - on ers y dydd

Pan

rhaid oedd dweud ffar - wél a mynd yn rhydd,

Ond

dy - ma'r gân a ga - nwn er mwyn di - olch it' am a - lw mewn,

Y

gân, a'r wên, dim diw - edd i - ddynt sydd.

rall.

a tempo

rall.

ppp

8ve

# Y GÂN OLA'

Hen ffrindiau ac atgofion am beth fu,
A thithau'n galw heibio atom ni,
Y nefoedd sydd yn agor gyda'r nodau syml, pêr,
A ninnau yn mwynhau'r alawon cu.

Yn gryg o fewn ein cofion llawenhawn,
Dim sôn am boenau'r byd na diffyg dawn.
Ac yn yr oriau mân pan ddaw cysgodion hir a chodi llaw,
Cân ola' sydd yn torri calon lawn.

Mor fyr yr oedd yr amser galwaist heibio,
Fel aur o eiliad lon mewn blwyddyn hir.
Ac er ond cofion sydd am ddyddiau hapus,
Mae gwên yn dod i leddfu poen y cur.

Mi alwaist heibio droeon ers y dydd
Pan rhaid oedd dweud ffarwél a mynd yn rhydd,
Ond dyma'r gân a ganwn er mwyn diolch it' am alw mewn,
Y gân, a'r wên, dim diwedd iddynt sydd.

Argraffiad cyntaf: Gorffennaf 1997
Cerddoriaeth: Ryan Davies
Geiriau: Bethan Davies
Trefniant: Arwyn Davies
Hawlfraint ⊕ Irene Davies, 1997 ©
Clawr: Owain Huw
Rhif Rhyngwladol: 0 86243 430 0

Argraffwyd a chyhoeddwyd yng Nghymru
gan Y Lolfa Cyf., Talybont, Ceredigion SY24 5HE
*e-bost* ylolfa@netwales.co.uk
*y we* www.ylolfa.com
*ffôn* (01970) 832 304
*ffacs* 832 782

ISBN 086243430-0

9 780862 434304

Pris £1.95